Communicate in Greek for Beginners

Kleanthes & Frosso Arvanitakis

Workbook Two

Lessons 13-24

The Greek Experience
Books, Music, Video, Art
www.GreeceInPrint.com
262 Rivervale Rd, River Vale, N.J. 07675
Tel 201-664-3494 Email info@GreeceInPrint.com

Communicate in Greek for Beginners - Workbook Two

Kleanthes & Frosso Arvanitakis

Copyright © E. ΑΡΒΑΝΙΤΑΚΗ & ΣΙΑ Ο.Ε. (E. ARVANITAKI & SIA O.E.)

First edition – July 2010

Second reprint – February 2021

Edited by Kleanthes Arvanitakis

Cover designed by Evangelos Papazoglou

New layout by Eleni Sgontzou

ISBN 978-960-7914-40-2

Deltos Publishing

69 Plastira St., 17121 Nea Smyrni, Athens, Greece

T +30210 9322393   www.deltos.gr   info@deltos.gr

Εκδόσεις Δέλτος

Πλαστήρα 69, 17121 Νέα Σμύρνη, Ελλάς

1 Put articles, nouns, and adjectives in the plural.

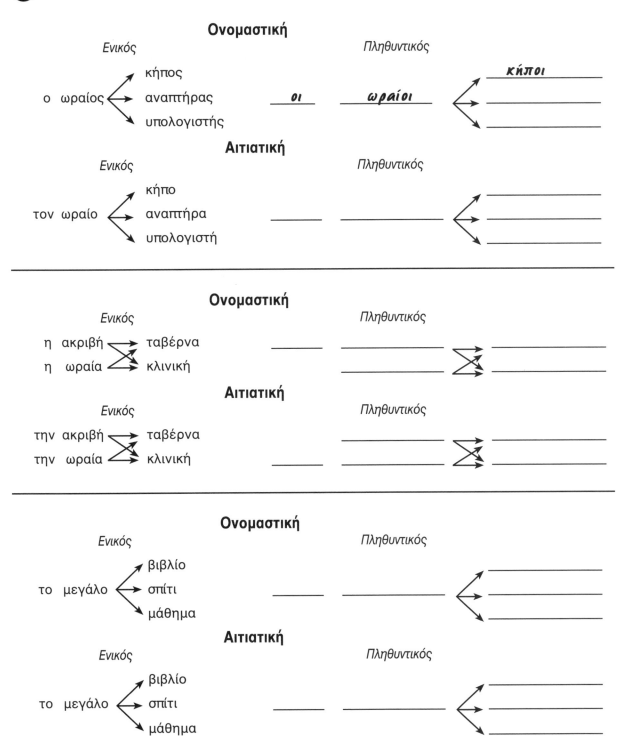

Ονομαστική

Ενικός   *Πληθυντικός*

ο   ωραίος   κήπος
αναπτήρας   **οι   ωραίοι**   _κήποι_
υπολογιστής   _____
                                           _____

Αιτιατική

Ενικός   *Πληθυντικός*

τον   ωραίο   κήπο
αναπτήρα   _____   _____   _____
υπολογιστή   _____
                                           _____

Ονομαστική

Ενικός   *Πληθυντικός*

η   ακριβή   ταβέρνα   _____   _____
η   ωραία   κλινική   _____   _____

Αιτιατική

Ενικός   *Πληθυντικός*

την   ακριβή   ταβέρνα   _____   _____
την   ωραία   κλινική   _____   _____

Ονομαστική

Ενικός   *Πληθυντικός*

                βιβλίο
το   μεγάλο   σπίτι   _____   _____   _____
                μάθημα   _____
                                                      _____

Αιτιατική

Ενικός   *Πληθυντικός*

                βιβλίο
το   μεγάλο   σπίτι   _____   _____   _____
                μάθημα   _____
                                                      _____

2 Put articles, nouns and adjectives in the plural.

	Ενικός	Πληθυντικός
Ονομαστική	1. ο ακριβός αναπτήρας	*οι ακριβοί αναπτήρες*
Αιτιατική	τον ακριβό αναπτήρα	
Ονομαστική	2. η μεγάλη ομπρέλα	
Αιτιατική	την μεγάλη ομπρέλα	
Ονομαστική	3. ο μικρός υπολογιστής	
Αιτιατική	τον μικρό υπολογιστή	
Ονομαστική	4. το παλιό βιβλίο	
Αιτιατική	το παλιό βιβλίο	
Ονομαστική	5. ο καλός φίλος	
Αιτιατική	τον καλό φίλο	
Ονομαστική	6. το καινούργιο μάθημα	
Αιτιατική	το καινούργιο μάθημα	
Ονομαστική	7. η ωραία κλινική	
Αιτιατική	την ωραία κλινική	
Ονομαστική	8. το φτηνό σπίτι	
Αιτιατική	το φτηνό σπίτι	
Ονομαστική	9. ο παλιός φούρνος	
Αιτιατική	τον παλιό φούρνο	

3 Put these sentences in the plural.

1. Δε βλέπεις το μικρό γράμμα; ___*Δε βλέπετε τα μικρά γράμματα;*___

2. Το μεγάλο αυτοκίνητο είναι ακριβό. _____

3. Δεν υπάρχει καινούργια καρέκλα; _____

4. Ο καλός κινηματογράφος είναι μακριά. _____

5. Δε θέλω την ακριβή μηχανή. _____

6. Γιατί αυτό το πρόβλημα είναι μεγάλο; _____

7. Ο φίλος μου δε θέλει τον ακριβό υπολογιστή. _____

8. Το παλιό βιβλίο είναι δίπλα στο ποτήρι. _____

9. Η αδελφή της θέλει το ρολόι μου. _____

10. Εκείνη η σαλάτα είναι έτοιμη. _____

4 Choose the correct word or phrase.

1. Η καθηγήτριά μας έχει ___*β*___ μαθητές.
   α. δέκα τρία   β. σαράντα τρεις   γ. έναν   δ. τέσσερα

2. _____ μένουν μαζί.
   α. Οι δύο αδελφές   β. Τις δύο αδελφές   γ. Η αδελφή μου   δ. Την αδελφή μου

3. Δεν υπάρχουν _____ κοντά στο σχολείο.
   α. κανένα βιβλιοπωλείο   β. βιβλιοπωλεία   γ. βιβλιοπωλείο   δ. το βιβλιοπωλείο

4. Βλέπετε συχνά _____ ;
   α. ο φίλος σας   β. οι φίλοι σας   γ. τους φίλους σας   δ. φίλο σας

5. Ο αδελφός μου είναι ερωτευμένος με δύο _____ .
   α. οι Γερμανίδες   β. τις Γερμανίδες   γ. Γερμανίδα   δ. Γερμανίδες

6. Ξέρετε πού κάθονται _____ ;
   α. τους τουρίστες   β. οι τουρίστες   γ. ο τουρίστας   δ. τουρίστας

7. Υπάρχει καμιά _____ εδώ κοντά;
   α. η πιτσαρία   β. πιτσαρίες   γ. τις πιτσαρίες   δ. πιτσαρία

5 Choose the correct word or phrase from the box.

φράουλες - πόσο κάνουν - πελάτισσα - σειρά - πόσοι - λίγες - πόσο περίπου - τίποτε - εξαιρετικές - ρέστα

1. _**Πόσο κάνουν**_ όλα μαζί;

2. _____ κινηματογράφοι υπάρχουν κοντά στο σπίτι σας;

3. Θέλω μόνο _____ πατάτες.

4. Σήμερα στη λαϊκή δεν έχει _____ .

5. Οι ντομάτες είναι _____ .

6. Η _____ αγοράζει μήλα από τον μανάβη.

7. Τα _____ σας, κύριε. Τρία ευρώ και σαράντα λεπτά.

8. Ποιος έχει _____ , παρακαλώ;

9. " _____ άλλο;" "Τίποτε ευχαριστώ."

10. "Θα ήθελα λίγη γραβιέρα Νάξου." " _____ " ;

6 Put the words in the nominative or the accusative, accordingly.

1. Στην τάξη μας δεν υπάρχουν _**Άγγλοι**_ . (Άγγλος)

2. Στο σχολείο έχει μόνο _____ σήμερα! (ένας καθηγητής)

3. Δεν έχει _____ στο σπίτι. (μπανάνα)

4. Υπάρχουν δεκατέσσερα _____ στον δρόμο. (αυτοκίνητο)

5. Έχει _____ εδώ κοντά; (κανένας φούρνος)

6. Στο βιβλίο υπάρχουν μόνο δέκα _____ . (μάθημα)

7. Υπάρχουν περίπου δεκαπέντε _____ στην τάξη. (μαθήτρια)

8. Έχει _____ λίγο πιο πάνω. (μια τράπεζα)

9. Δεν υπάρχει _____ στο κατάστημα. (κανένας πωλητής)

1 Fill in the blanks as required.

Χώρα	Πολίτης	Επίθετο	Γλώσσα
1. η Γερμανία	_Γερμανός, -ίδα_	_γερμανικός, -ή, -ό_	_τα γερμανικά_
2. _____	_____	ιταλικός, -ή, -ό	_____
3. η Ιαπωνία	_____	_____	_____
4. _____	_____	_____	τα ελληνικά
5. _____	Άγγλος, -ίδα	_____	_____
6. _____	_____	ισπανικός, -ή, -ό	_____
7. η Σουηδία	_____	_____	_____
8. _____	_____	_____	τα κινέζικα
9. _____	Τούρκος, -άλα	_____	_____
10. _____	_____	ολλανδικός, -ή, -ό	_____

2 Underline the correct word.

1. Η τσάντα μου είναι Ιταλίδα/ιταλική.

2. Στη σχολή υπάρχουν οχτώ έλληνες/ελληνικοί καθηγητές.

3. Εσύ έχεις τα Ισπανοί/ισπανικά cd;

4. Εκείνη η διπλωμάτης είναι Αυστραλέζα/αυστραλέζικη.

5. Ο Στέφανος αγαπάει την ιταλίδα/ιταλική δημοσιογράφο.

6. Αυτός ο Γάλλος/γαλλικός καφές έχει πολύ ωραίο άρωμα.

7. Μ' αρέσουν πολύ οι ελβετίδες/ελβετικές σοκολάτες.

8. Βλέπεις Αμερικανίδες/αμερικάνικες ταινίες;

9. Μήπως οι Έλληνες/ελληνικοί μιλάνε γρήγορα;

10. Η μπλούζα μου είναι Γαλλίδα/γαλλική, ξέρεις.

11. Αυτοί οι Άγγλοι/αγγλικοί αναπτήρες είναι πολύ καλοί.

12. Προτιμώ εκείνη την ελληνίδα/ελληνική γιατρό.

3 Write the singular and plural of the required gender.

	Αρσενικό	Θηλυκό	Ουδέτερο
1.	_μαύρος/μαύροι_	μαύρη / μαύρες	_μαύρο/μαύρα_
2.	πράσινος / πράσινοι	_____	_____
3.	_____	πορτοκαλιά / πορτοκαλιές	_____
4.	_____	_____	καφέ / καφέ
5.	κίτρινος / κίτρινοι	_____	_____
6.	_____	_____	γκρίζο / γκρίζα
7.	_____	μπεζ / μπεζ	_____
8.	_____	άσπρη / άσπρες	_____
9.	βυσσινής / βυσσινιοί	_____	_____

4 Choose the correct phrase.

1. ___ _a_ ___ φάκελοι είναι γαλλικοί.

   α. Οι μαύροι   β. Τους μαύρους   γ. Οι μαύρες   δ. Τις μαύρες   ε. Τα μαύρα

2. Εσείς έχετε _____ ζώνη;

   α. ο κόκκινος   β. τον κόκκινο   γ. η κόκκινη   δ. την κόκκινη   ε. το κόκκινο

3. Μήπως βλέπεις _____ μπλουζάκια;

   α. οι άσπροι   β. τους άσπρους   γ. οι άσπρες   δ. τις άσπρες   ε. τα άσπρα

4. Πού είναι _____ φούστες;

   α. οι βυσσινιοί   β. τους βυσσινιούς   γ. οι βυσσινιές   δ. τις βυσσινιές   ε. τα βυσσινιά

5. _____ σακάκι είναι για τον Αντρέα;

   α. Ο πράσινος   β. Τον πράσινο   γ. Η πράσινη   δ. Την πράσινη   ε. Το πράσινο

6. Ποιος θέλει _____ καπέλα;

   α. τα γκρίζα   β. τους γκρίζους   γ. οι γκρίζες   δ. τις γκρίζες   ε. οι γκρίζοι

7. _____ γραβάτα δεν είναι πολύ ωραία.

   α. Ο πορτοκαλής   β. Η πορτοκαλιά   γ. Τον πορτοκαλή   δ. Την πορτοκαλιά   ε. Το πορτοκαλί

5 **Read or listen to the dialogue on p. 150 of your book, and write the words that are missing.**

Πωλήτρια	Ορίστε, παρακαλώ.
Πελάτισσα	Ναι... Θα ήθελα εκείνα εκεί τα παπούτσια που είναι _____ στη βιτρίνα.
Πωλήτρια	_____ που είναι δίπλα στην τσάντα;
Πελάτισσα	Ε... ναι.
Πωλήτρια	Μάλιστα. Τι νούμερο _____ ;
Πελάτισσα	Τριάντα οχτώ.
Πωλήτρια	Στο _____ ;
Πελάτισσα	Δεν έχει μαύρο;
Πωλήτρια	Ναι. Έχει μαύρο, καφέ, μπλε και _____ .
Πελάτισσα	Μαύρο.
Πωλήτρια	Τριάντα οχτώ στο μαύρο. Σ' ένα _____ είμαι μαζί σας...

. . . .

Πωλήτρια	Πώς είναι;
Πελάτισσα	Καλό είναι.
Πωλήτρια	Είναι πολύ ωραίο στο _____ σας. Θέλετε και το αριστερό;
Πελάτισσα	Ναι. Μ' _____ . Μ' αρέσουν πολύ. Πόσο έχουν;
Πωλήτρια	Εκατόν δέκα εννιά κι _____ .
Πελάτισσα	_____ ε;
Πωλήτρια	Είναι _____ .
Πελάτισσα	Μμ... εντάξει. Πού _____ ;
Πωλήτρια	Το _____ είναι εκεί απέναντι. Με _____ σας.
Πελάτισσα	Ευχαριστώ.

6 Your teacher dictates and you fill in the blanks with the correct letter(s). Do not forget to put the stress (') where necessary.

Μέν_ω_ στ___ν Καλαμαριά , κοντά στη Θεσσαλονίκ___ . Συχνά πηγαίν___ στη Θεσσαλονίκ___ , στ___ κέντρο, στην οδό Τσιμισκ___ και ψωνίζ___ . Εκεί υπάρχουν πολλά και ___ραία μαγαζιά . Τ___ρα είμαι στ___ν Τσιμισκή . Θέλ___ καφέ παπούτσ_ α , μία μαύρ___ τσάντα , ένα φόρ___μα — δεν ξέρ___ τι χρ___μα ακόμα — τρία καλσ___ν , ένα πουλόβ___ρ και δύο φανελάκ___α . Σε μια β___τρίνα βλέπ___ ένα ζευγάρ___ καφέ παπούτσ___α . Μ' αρέσουν πολ___ . Νομίζ___ ότι ___ναι τα παπούτσια που θέλ___ .

7 Put the stress (') where necessary.

1. κ ο ν τ ά	4. γ λ ω σ σ α	7. φ ο υ σ τ α	10. χ ρ ω μ α τ α
2. ι σ π α ν ι κ η	5. ε λ λ η ν ι κ α	8. π α π ο υ τ σ ι α	11. μ π λ ε
3. π λ η ρ ω ν ω	6. π ο υ κ α μ ι σ ο	9. κ ι τ ρ ι ν ο	12. π α ρ α κ α λ ω

8 Write the English equivalent.

1. γραβάτα _____
2. βιτρίνα _____
3. φούστα _____
4. δεν πειράζει _____
5. άσπρος _____
6. παπούτσια _____
7. πράσινη _____
8. φορά _____

9. κόκκινο _____
10. κιλό _____
11. γιαπωνέζικος _____
12. ορίστε, παρακαλώ. _____
13. Ρουμάνα _____
14. πού πληρώνω; _____

1 Your teacher dictates and you fill in the blanks with the correct letter(s).
Do not forget to put the stress (′) where necessary.

Ο Κώστας είν_ai_ φοιτητ___ ς . Τώρα βγαίν___ για δουλ ___ές . Πρώτα θα πά___ στην τράπεζα κ___ μετά θα πά___ στη ΔΕΗ . Θα πληρώσ___ το λογαρ___ασμό και μετά θα αγοράσ___ κάποια πράγματα για τον υπολογ___στ___ του . Η μητέρα του θα μαγειρέψ___ ένα καλ___ μεσημεριαν___ .

2 Decline the verbs in the present and simple future tenses.

Ενεστώτας	Απλός Μέλλοντας	Ενεστώτας	Απλός Μέλλοντας
αγοράζω	*θα αγοράσω*	*δουλεύω*	*θα δουλέψω*

Ενεστώτας	Απλός Μέλλοντας	Ενεστώτας	Απλός Μέλλοντας
ανοίγω	*θα ανοίξω*	*φτιάχνω*	*θα φτιάξω*

3 Put the verbs in the simple future.

1. αγοράζει ___*θα αγοράσει*___
2. μαγειρεύουμε _____
3. πάνε _____
4. καπνίζω _____
5. γράφεις _____
6. ανοίγετε _____

7. είσαι _____
8. φτιάχνει _____
9. χορεύω _____
10. φτάνουμε _____
11. πληρώνετε _____
12. έχουμε _____

4 Put the verbs in the present.

1. θα διαβάσει ___*διαβάζει*___
2. θα δουλέψουμε _____
3. θα ακούσουν _____
4. θα κλείσω _____
5. θα μαγειρέψεις _____
6. θα παίξετε _____

7. θα κάνεις _____
8. θα περιμένει _____
9. θα ψωνίσω _____
10. θα καπνίσουμε _____
11. θα γράψετε _____
12. θα προσέξεις _____

5 Put the verbs in the simple future to complete the sentences.

1. Ο Χάρης απόψε ___*θα γράψει*___ ένα γράμμα στον φίλο του. (γράφω)
2. Εμείς του χρόνου _____ δύο αυτοκίνητα! (έχω)
3. Ο κύριος Σταύρου έρχεται στις εννιάμισι, κυρία μου. _____ ; (περιμένω)
4. Αύριο τα παιδιά _____ από τις τρεις ώς τις οχτώ. (διαβάζω)
5. Εσύ _____ το μαγαζί το μεσημέρι, Ασπασία; (κλείνω)
6. Εγώ _____ μουσική τώρα. Εσύ τι θα κάνεις; (ακούω)
7. Η μαμά σου _____ σήμερα ή εσύ; (ψωνίζω)
8. Πότε _____ την ομελέτα, Γιώργο; (φτιάχνω)
9. Οι γονείς μου _____ την άλλη εβδομάδα. (πληρώνω)

6 Write questions that are true for you.

1. Πού θα πάτε απόψε;

_____

2. Πού θα είστε αύριο το μεσημέρι;

_____

3. Το σαββατοκύριακο τι θα μαγειρέψετε;

_____

4. Τι θα ακούσετε σήμερα στο ραδιόφωνο;

_____

5. Ποια μέρα θα παίξετε βόλεϊ αυτή την εβδομάδα;

_____

6. Πότε θα αγοράσετε καινούργιο αυτοκίνητο;

7 Choose the correct word from the box to complete each sentence.

> χάρτη - φτιάξω - χρειάζομαι - χορέψει - ~~διαβάσω~~ - επιστροφή - θέση - περιμένετε - νησί - εισιτήριά - δουλειές

1. Δεν μπορώ τώρα. Θα ___*διαβάσω*___ την εφημερίδα μου.

2. Θα πάω στην τράπεζα γιατί _____ λεφτά.

3. Το άλλο Σάββατο η κόρη μας θα _____ ελληνικούς χορούς στο σχολείο της.

4. Τα _____ σας για τη Μαδρίτη είναι έτοιμα, κυρίες μου. Ορίστε.

5. Εγώ θα _____ έναν καφέ. Θέλεις κι εσύ;

6. Θα ήθελα δύο εισιτήρια για Πάτρα με _____ .

7. Όταν ταξιδεύουμε με το αυτοκίνητο πάντα έχουμε _____ μαζί μας.

8. Η κόρη μου δεν είναι στο σπίτι. Είναι έξω για _____ .

9. Η καθηγήτρια θα είναι ελεύθερη σε μισή ώρα, κύριε. Θα _____ ;

10. Και η Αυστραλία είναι ένα _____ . Πολύ μεγάλο, βέβαια.

11. Εμείς ταξιδεύουμε πάντα πρώτη _____ !

8 **Read or listen to the dialogue on p. 165 of your book, and fill in the blanks with the words that are missing.**

Αλέξης   Καλημέρα. Θα ήθελα δύο __*εισιτήρια*__ για Μυτιλήνη.

Υπάλληλος   Με το _____ ή με το πλοίο;

Αλέξης   Με το πλοίο. Έχει πλοίο τη _____ ;

Υπάλληλος   Ένα _____ . Δευτέρα για Μυτιλήνη. Ναι, στις 7 το βράδυ φεύγει το "Μυτιλήνη" και στις εννιά το "Μιλένα".

Αλέξης   Στις 7 με το "Μυτιλήνη". Πρώτη θέση με _____ .

Υπάλληλος   Απλά ή με _____ ;

Αλέξης   Απλά. Δεν ξέρουμε πότε θα γυρίσουμε _____ .

Υπάλληλος   Εντάξει. Έχετε _____ ;

Αλέξης   Όχι.

Υπάλληλος   Τι _____ ;

Αλέξης   Καραδήμος Αλέξης. Μήπως ξέρετε τι ώρα _____ στη Μυτιλήνη;

Υπάλληλος   Στις πέντε το πρωί. Θα πληρώσετε _____ ή με κάρτα;

Αλέξης   Με κάρτα. Ορίστε.

Υπάλληλος   Λοιπόν. Είναι εκατόν δύο ευρώ. Θα _____ εδώ, παρακαλώ;

Αλέξης   _____ .

Υπάλληλος   Είστε έτοιμος. Τα εισιτήριά σας και η _____ σας.
Καλό _____ .

Αλέξης   Ευχαριστώ. Ε... μήπως έχετε και _____ ;

Υπάλληλος   Δυστυχώς, όχι. Αλλά έχει χάρτες το _____ δίπλα.

1 Your teacher dictates and you fill in the blanks with the correct letter(s).
Do not forget to put the stress (′) where necessary.

Ο Πέτερ κι εγ_**ώ**_ είμαστε στ___ν Ελλάδα δεκατέσσερις μ___νες ακριβ___ς. Την άλλ___ εβδομάδα αυτ___ς θα φ___γει για τ___ Βιέννη. Εγώ θα μ__νω ακόμα ένα μήν___ και μετά θα φ__γω για το Μιλάνο. Τ___ χρόνου θα ___μαστε πάλι μαζ_ στ___ν Ελλάδα

2 Decline the verbs in the simple future.

Απλός Μέλλοντας	Απλός Μέλλοντας	Απλός Μέλλοντας	Απλός Μέλλοντας
θα φύγω	*θα δώσω*	*θα πεινάσω*	*θα πω*

Απλός Μέλλοντας	Απλός Μέλλοντας	Απλός Μέλλοντας	Απλός Μέλλοντας
θα ξυπνήσω	*θα έρθω*	*θα φάω*	*θα κοιμηθώ*

3 **Put the verbs in the simple future.**

1. πλένει   _θα πλύνει_

2. πίνουμε _____

3. έρχεσαι _____

4. παίρνουν _____

5. μπορεί _____

6. δίνετε _____

7. βγαίνεις _____

8. γίνεται _____

9. βρίσκω _____

10. περνάμε _____

11. λένε _____

12. κοιμάστε _____

4 **Put the verbs in the present.**

1. θα βρει   _βρίσκει_

2. θα μπορέσουμε _____

3. θα στείλουν _____

4. θα γελάσω _____

5. θα μιλήσει _____

6. θα μπείτε _____

7. θα τηλεφωνήσεις _____

8. θα δει _____

9. θα πάρω _____

10. θα φέρουμε _____

11. θα πιείτε _____

12. θα μείνει _____

5 **Put the verbs in the simple future to complete the sentences.**

1. Ο Μάρκος αύριο   _θα στείλει_   λουλούδια στη φίλη του. (στέλνω)

2. Εγώ αύριο _____ πολύ νωρίς. (ξυπνάω)

3. Η Δάφνη δε _____ απόψε, γιατί είναι κουρασμένη. (βγαίνω)

4. Αύριο το πρωί τα παιδιά _____ πιο νωρίς. (φεύγω)

5. _____ ένα ποτήρι κρασί μαζί μας, Δήμητρα; (πίνω)

6. Εγώ _____ το ματς στην τηλεόραση το βράδυ. Εσύ τι θα κάνεις; (βλέπω)

7. Ο μπαμπάς σου _____ τα πιάτα ή εσύ; (πλένω)

8. _____ στη Μαρίνα τη μηχανή σου για το σαββατοκύριακο, Γιώργο; (δίνω)

9. Εμείς _____ στο πανεπιστήμιο τον άλλο Σεπτέμβριο. (μπαίνω)

10. _____ μαζί μας στο εστιατόριο, κύριε Πετράκη; (έρχομαι)

11. Εγώ _____ στον πατέρα της απόψε. (μιλάω)

12. Εσείς _____ τον γιατρό για το νοσοκομείο. (ρωτάω)

13. Δε _____ τα CD το Σάββατο για το πάρτι, Μίμη; (ξεχνάω)

14. Δε _____ μαζί σας λίγα φρούτα; _____ . (παίρνω) (πεινάω)

6 Write answers that are true for you.

1. Θα βγείτε απόψε; Πού θα πάτε;

_____

2. Τι θα πάρετε στους φίλους σας για το καινούργιο τους σπίτι;

_____

3. Πώς θα περάσετε το σαββατοκύριακο;

_____

4. Θα φάτε έξω ή στο σπίτι το Σάββατο το μεσημέρι;

_____

5. Τι θα δείτε στην τηλεόραση το βράδυ;

_____

6. Τι ώρα θα φύγετε από το μάθημα σήμερα;

_____

7 Choose the correct word or phrase from the box to complete each sentence.

> συμπόσιό - θα βγούμε - τελικά - θα φύγεις - θα μείνω - βόλτα - θα φέρουν - λογαριασμό - θα δει - ψάρι - θα γίνει

1. "Το Σάββατο το βράδυ _**θα βγούμε**_ με την καθηγήτριά μας." "Ναι; Πού θα πάτε;"

2. "Θα ήθελα τον _____ , παρακαλώ." "Αμέσως, κύριε."

3. "Λοιπόν, θα φάμε κρέας ή _____ ;" "Δεν ξέρω. Εσύ τι προτιμάς;"

4. " _____ θα πάω στην Κρήτη το καλοκαίρι." "Ωραία. Θα είμαστε κι εμείς εκεί."

5. "Αυτές _____ τα γλυκά κι εμείς το κρασί. Εντάξει;" "Εντάξει."

6. "Στην Πάτρα ο πατέρας μου _____ και την Άντζελα." "Ποιαν Άντζελα;"

7. "Το _____ μας φέτος _____ στη Ρόδο."

8. "Πότε _____ για την Νορβηγία;" "Δεν ξέρω ακόμα."

9. "Απόψε δε θα πάω πουθενά. _____ στο σπίτι." "Κι εγώ το ίδιο θα κάνω."

10. "Συχνά πηγαίνουμε _____ στην Πλάκα." "Κι εμείς. Μας αρέσει πολύ."

8 **Write what the customer says to the waiter in the taverna.**

Πελάτης _____

Σερβιτόρος Έρχομαι αμέσως, κύριε... Είστε έτοιμος;

Πελάτης _____

Σερβιτόρος Βεβαίως. Και για μετά;

Πελάτης _____

Σερβιτόρος Τι θα πιείτε; Κρασάκι ή μπίρα;

Πελάτης _____

Σερβιτόρος Εντάξει, ευχαριστώ. Γιάννη, νερό και ψωμί εδώ, σε παρακαλώ.

. . . .

Πελάτης _____

Σερβιτόρος Αμέσως, κύριε. Ορίστε. Είναι 24,20.

Πελάτης _____

Σερβιτόρος Εμείς ευχαριστούμε, κύριε.

9 **Write what you think -A- says each time.**

1. A : _____

   B : Ευχαριστώ, επίσης.

2. A : _____

   B : Αμέσως, κυρία μου. Ορίστε.

3. A : _____

   B : Μια μπίρα. Εσύ;

4. A : _____

   B : Θα πάω στο σινεμά, και μετά θα πάω σ' ένα μπαρ.

5. A : _____

   B : Μεθαύριο μάλλον.

1 Read or listen to the text on p. 178 of your book, and write the words that are missing.

Ο Πέτρος ___*ψάχνει*___ για ένα _____ κοντά στο κέντρο.

Θέλει ένα _____ δυάρι. Σήμερα στην _____ "Χρυσή Ευκαιρία"

υπάρχουν δύο διαμερίσματα που ίσως είναι _____ .

Το ένα είναι στην Πλάκα, _____ στην Ακρόπολη, και είναι στον πρώτο

_____ . Έχει ένα λίβιγκ ρουμ με τζάκι, ένα _____ , μια μικρή

_____ και μπάνιο. _____ δεν έχει _____ και το

_____ είναι πολύ ακριβό.

Το άλλο διαμέρισμα _____ στα Εξάρχεια, σε έναν ήσυχο _____ .

Είναι στον τρίτο _____ , έχει μια κουζινοτραπεζαρία, ένα υπνοδωμάτιο με μικρό

μπαλκόνι κι ένα μεγάλο _____ .

Το _____ είναι πολύ λογικό, αλλά η _____ είναι παλιά και

δεν έχει _____ .

2 Write the rooms each of the following flats have.

1. Μια γκαρσονιέρα ___*έχει ένα*_____

2. Ένα δυάρι _____

3. Ένα τριάρι _____

4. Ένα τεσσάρι _____

5. Ένα πεντάρι _____

3 Put the stress (´) where necessary.

1. διαμέρισμα	4. πολυκατοικια	7. μονοκλινο	10. Ακροπολη
2. επιπλα	5. επιπλωμενο	8. ξενοδοχειο	11. διαβατηριο
3. μπανιο	6. κουζινα	9. θεα	12. κλειδι

4 **Choose the correct word from the box to complete each sentence.**

διαμερίσματα - υπνοδωμάτια - δυάρι - δίκλινο - ξενοδοχείο - κλειδιά - διαβατήριο - ψάχνω - ενοίκιο - έπιπλα

1. Καλησπέρα σας. Θα ήθελα ένα _____*δίκλινο*_____ με μπάνιο για ένα βράδυ.

2. Ο πατέρας μου ζει είκοσι χρόνια στην Αμερική και έχει αμερικανικό _____ .

3. Μένουμε σ' ένα διαμέρισμα με τρία _____ , γιατί έχουμε δύο μεγάλα παιδιά.

4. Το _____ όπου δουλεύει η αδελφή μου έχει 210 δωμάτια.

5. Μήπως βλέπεις πού είναι τα _____ μου;

6. Στο σπίτι μας υπάρχουν και παλιά και μοντέρνα _____ .

7. Η πολυκατοικία μας έχει δέκα _____ μόνο. Είναι όλα πεντάρια.

8. _____ για ένα επιπλωμένο τριάρι με τηλέφωνο, αλλά δε βρίσκω.

9. Το διαμέρισμα είναι _____ : έχει ένα καθιστικό κι ένα υπνοδωμάτιο.

10. Το _____ είναι λογικό αλλά τα κοινόχρηστα είναι πολλά.

5 **Draw your home and label the rooms accordingly.**

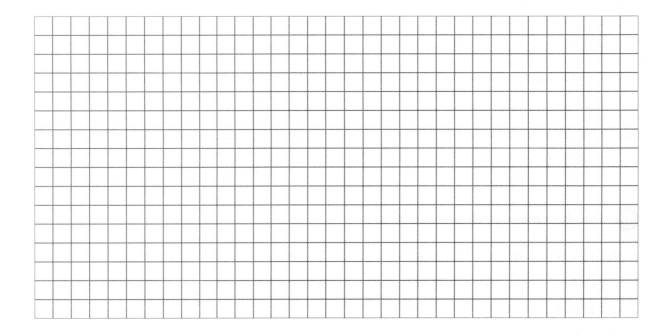

6 Write the correct cardinal number.

Το ελληνικό αλφάβητο
Α Β Γ Δ Ε Ζ Η Θ Ι Κ Λ Μ Ν Ξ Ο Π Ρ Σ Τ Υ Φ Χ Ψ Ω

1. Το Ζ είναι το _____ *έκτο* _____ γράμμα στο ελληνικό αλφάβητο.

2. Το Ο είναι το _____ γράμμα στο ελληνικό αλφάβητο.

3. Το Ψ είναι το _____ γράμμα στο ελληνικό αλφάβητο.

4. Το Γ είναι το _____ γράμμα στο ελληνικό αλφάβητο.

5. Το Ν είναι το _____ γράμμα στο ελληνικό αλφάβητο.

6. Το Ρ είναι το _____ γράμμα στο ελληνικό αλφάβητο.

7. Το Α είναι το _____ γράμμα στο ελληνικό αλφάβητο.

8. Το Ω είναι το _____ γράμμα στο ελληνικό αλφάβητο.

7 Write an ad for a local Greek paper about a flat you want to rent; specify area, sq. metres, number of rooms, floor, rent etc.

ΖΗΤΕΙΤΑΙ _____
_____
_____
_____
_____
_____

8 **Write what we normally do in these rooms.**

1. στο καθιστικό _____ *καθόμαστε, βλέπουμε τηλεόραση,* _____

2. στην κρεβατοκάμαρα _____

3. στην κουζίνα _____

4. στην τραπεζαρία _____

5. στο μπάνιο _____

6. στο υπνοδωμάτιο _____

7. στο λουτρό _____

9 **Read or listen to the dialogue on p. 184 of your book, and write the words that are missing.**

Φρανσουά   Καλησπέρα σας.

Υπάλληλος   Καλησπέρα.

Φρανσουά   Θα ήθελα ένα ___ *δωμάτιο* ___ για δύο μέρες.

Υπάλληλος   Μονόκλινο ή _____ ;

Φρανσουά   Μονόκλινο.

Υπάλληλος   Ένα λεπτό. Έχουμε ένα στον τρίτο _____ με _____ στη

                θάλασσα, και ένα στο _____ δίπλα στην πισίνα.

Φρανσουά   Πόσο έχουν;

Υπάλληλος   Το πρώτο έχει 85 ευρώ τη _____ και το δεύτερο 75.

Φρανσουά   Η τιμή είναι με _____ ;

Υπάλληλος   Μάλιστα.

Φρανσουά   _____ αυτό που είναι στον τρίτο όροφο.

Υπάλληλος   Ωραία. Την _____ σας, παρακαλώ;

Φρανσουά   Δεν έχω ταυτότητα, έχω _____ . Ορίστε.

Υπάλληλος   Ευχαριστώ. Αυτά είναι τα _____ σας;

Φρανσουά   Ναι.

Υπάλληλος   Είστε στο 312. Ορίστε το _____ σας. Για πρωινό στην τραπεζαρία,

                στον _____ , από τις 8 μέχρι τις 10... Αλέκο, έλα σε παρακαλώ.

                Έχει δύο _____ για το 312.

1 Put the verbs in brackets in the simple subjunctive to complete the sentences.

1. Νομίζω, Ρόζα μου, ότι εσύ πρέπει ___*να μιλήσεις*___ στη μητέρα σου γι' αυτό. (μιλάω)

2. Μπορείτε _____ αυτά τα δέματα σήμερα, σας παρακαλώ; (στέλνω)

3. Εμείς μπορεί _____ στη Σαντορίνη το καλοκαίρι. (πάω)

4. Η αδελφή του θέλει _____ ένα μικρό αυτοκίνητο. (αγοράζω)

5. Απόψε ο Γιάννης και η Ρένα λένε _____ έξω. Πάμε κι εμείς; (τρώω)

6. Γιατί δεν προσπαθείτε _____ το διαμέρισμά σας; (πουλάω)

7. Εγώ πρέπει _____ νωρίς απόψε. (κοιμάμαι)

8. Η γυναίκα μου κι εγώ σκεφτόμαστε _____ απ' την Αθήνα. (φεύγω)

9. Τα παιδιά δεν πρέπει _____ τα βιβλία τους. (ξεχνάω)

10. Μπορείς _____ σ' αυτό το τραπέζι, αν θέλεις. (κάθομαι)

11. Αύριο λέω _____ μουσακά. Τι λέτε; (μαγειρεύω)

12. Δε χρειάζεται _____ πολύ νωρίς οι γονείς σου σήμερα. (ξυπνάω)

13. Ο φίλος μου σκέφτεται _____ στην Κέρκυρα για δύο μήνες. (έρχομαι)

14. Θέλετε ή δε θέλετε _____ τένις με τα παιδιά μας το Σάββατο; (παίζω)

2 Use the simple subjunctive to complete the sentences in your own words.

1. Κώστα, πρέπει να _____

2. Η αδελφή μου θέλει να _____

3. Οι μαθητές σκέφτονται να _____

4. Αγαπητοί μας φίλοι, μπορείτε να _____

5. Προσπαθούμε να _____

6. Εγώ θα ήθελα να _____

7. Εμείς μπορεί να _____

8. Τι λες; Πάμε να _____

9. Μήπως χρειάζεται εγώ να _____

10. Μπορείς να _____

3 Choose the correct word to complete each sentence.

> συνεργείο - εκκλησία - τσουρέκι - αβγά - βράχους - σακούλες - αρνί - ψήσουμε - ξεκινάει

1. Είναι Άγγλοι. Θέλουν να φάνε ___*αβγά*___ με μπέικον για πρωινό.

2. Αρκετά χωριά δεν έχουν σχολείο, αλλά έχουν οπωσδήποτε _____ .

3. Συνήθως ο γιος μας _____ από το σπίτι για τη δουλειά στις εφτάμισι.

4. Αυτή η παραλία έχει πολλούς _____ ;

5. Πρώτα θα _____ το κρέας, και μετά θα φτιάξουμε τη σαλάτα.

6. Σ' αυτό το μαγαζί δε χρησιμοποιούν ποτέ πλαστικές _____ .

7. Πάω το αυτοκίνητό μου πάντα στο ίδιο _____ .

8. Δεν τρώω σχεδόν καθόλου κρέας. Το Πάσχα όμως τρώω λίγο _____ .

9. Το μεγάλο _____ είναι για την Καίτη και το μικρό είναι για τον Κωστάκη.

   Εντάξει, παιδιά;

4 Read or listen to the dialogue on p. 199 of your book and write the words that are missing.

Φωνή   Εμπρός;

Πέτρος   *Τον κύριο*_____ Γαλάνη, _____ .

Φωνή   Δεν _____ κανένας κύριος Γαλάνης _____ .

Πέτρος   Τι _____ έχετε;

Φωνή   _____ τι αριθμό _____ ;

Πέτρος   Το 2310 642883.

Φωνή   Πήρατε _____ , κύριε.

Πέτρος   Με _____ .

Φωνή   Δεν _____ .

1 Decline the following verbs in the present and the simple past.

Ενεστώτας	Αόριστος
αγοράζω	*αγόρασα*

Ενεστώτας	Αόριστος
κάνω	*έκανα*

Ενεστώτας	Αόριστος
τρώω	*έφαγα*

Ενεστώτας	Αόριστος
πάω	*πήγα*

Ενεστώτας	Αόριστος
βλέπω	*είδα*

Ενεστώτας	Αόριστος
πίνω	*ήπια*

2 Fill in the blanks with the correct person and tense for each one of the following verbs.

	Ενεστώτας	Απλός Μέλλοντας	Αόριστος
1.	_αγοράζεις_	θα αγοράσεις	_αγόρασες_
2.	τρώνε	_____	_____
3.	_____	_____	είδατε
4.	_____	θα είμαστε	_____
5.	πηγαίνουν	_____	_____
6.	_____	_____	έκανα
7.	_____	θα μαγειρέψουμε	_____
8.	ετοιμάζουν(ε)	_____	_____
9.	_____	_____	έφτασες
10.	_____	θα μείνω	_____
11.	φεύγετε	_____	_____

3 Use the verbs below in the simple past to complete the sentences.

αγοράζω - είμαι - βλέπω - τρώω - πάω - κάνω - έρχομαι - φτάνω - μαγειρεύω

1. Προχτές η Ελένη _____

2. Εμείς την περασμένη εβδομάδα _____

3. Χθες τα παιδιά _____

4. Πριν από δυο μήνες εγώ _____

5. Εσύ πέρσι _____

6. Πριν από τρία χρόνια εσείς _____

7. Την περασμένη Τρίτη ο Γιώργος _____

8. Πριν από τρεις εβδομάδες εμείς _____

9. Οι γονείς μου πρόπερσι _____

4 **Choose the correct words to complete the sentences.**

1. "Ξέρεις τη Χρύσα;" "Όχι, δεν __*β*__ ξέρω."
   α. τον   β. την   γ. αυτή

2. "Πότε είδες τον Χρήστο και τον Φώτη;" " _____ είδα χθες το βράδυ."
   α. Τον   β. Εγώ   γ. Τους

3. "Δεν ξέρω εσείς τι θα κάνετε, αλλά _____ πάω να κοιμηθώ."
   α. εγώ   β. με   γ. αυτός

4. "Ποιος σας πήρε τηλέφωνο;" " _____ πήρε ο Σάββας."
   α. Μας   β. Σας   γ. Την

5. "Ποιοι έφτασαν πρώτοι;" " _____ ."
   α. Μας   β. Εμείς   γ. Αυτόν

6. "Δε σε θυμάμαι." "Δε _____ θυμάσαι; Είμαι ο Μιχάλης."
   α. εγώ   β. σε   γ. με

7. "Θα πληρώσεις εσύ τα εισιτήρια;" "Ναι, θα _____ πληρώσω εγώ."
   α. τους   β. τα   γ. αυτά

8. "Ποιος ήπιε τις μπίρες;" " _____ ήπια εγώ."
   α. Τις   β. Τους   γ. Αυτός

5 **Underline the correct form of the pronoun.**

1. "Με _ποιον_/ποιος παίζεις πινγκ πονγκ συνήθως;" "Με τον Γιώργο."
2. "_Ποια/Ποιες_ είναι αυτές;" "Είναι δυο κορίτσια από τη Γαλλία."
3. "_Ποια/Ποιοι_ είναι αυτά τα παιδιά;" "Είναι τα παιδιά μας."
4. "Για _ποιες/ποιοι_ είναι αυτά τα λουλούδια;" "Είναι για τη Μαρίνα και για την Άννα."
5. "Από _ποιους/ποιοι_ είναι τα λεφτά;" "Από τους μαθητές."
6. "_Ποιος/Ποια_ είναι εκείνη η κυρία;" "Είναι η δεσποινίς Κλειώ."
7. "Για _ποιους/ποιες_ μαθητές είναι αυτά τα βιβλία;" "Για τον Τίμοθυ, την Πάολα και τον Χανς."
8. "_Ποιο/Ποια_ μάθημα έχουμε για την Πέμπτη;" "Το δέκατο έβδομο."
9. "Με _ποια/ποιες_ θα βγεις απόψε; Με την Άννα ή με τη Δάφνη;" "Με την Άννα."

6 Choose the correct word from the box to complete each sentence.

λιμάνι - ανάκτορο - φάγαμε - αγορά - περάσαμε - έκθεση - πέρσι - καταπληκτική - γνώρισε - καλέσω - ποιους

1. Στην ταβέρνα "Καλυψώ" ___*φάγαμε*___ ωραίους μεζέδες.

2. _____ το καλοκαίρι πήγαμε ταξίδι στην Κούβα.

3. Η ταινία που είδα χθες το βράδυ ήταν _____ .

4. _____ τον άντρα της στο αεροπλάνο.

5. _____ πολύ ωραία στο πάρτι.

6. Το Σάββατο το βράδυ θα _____ την Λιλή και τον Πάρη για ένα ουζάκι.

7. _____ είδες στο πλοίο; Τον Τάκη με τον Αλέκο; Μικρός που είναι ο κόσμος!

8. Το _____ του Μπάγκιγχαμ είναι στο Λονδίνο.

9. Η _____ στην οδό Αθηνάς είναι πολύ γραφική.

10. Στον Πειραιά υπάρχει ένα μεγάλο _____ .

11. Στην Εθνική Πινακοθήκη έχει μια _____ με βυζαντινές εικόνες.

7 Your teacher dictates and you fill in the blanks with the correct letter(s). Do not forget to put the stress (′) where necessary.

Το περα_σ_μένο Σάββατ___ ο καιρός ___ταν ωραί___ς, και η Δήμητρα πήγ___ μια βόλτα στ___ν Πλάκα. Αγ___ρασε ένα άσπρ___ παντελόν___ για την αδελφ___ της κι ένα κομπολόι για τ___ν φίλο τ___ς τον Μηνά. Μετά π___γε σε μια ταβέρνα κ___ντά στην Ακρόπολ___ και ___φαγε καλά. Τ___ βράδ___ πήγ___ στο σινεμά και ___δε μια γαλλ___κή ταινία. Η ταινία ___ταν·πολ___ καλ___ .

1 Put the stress (´) where necessary.

Σ' αυτή τη χωρα κανει κρυο το καλοκαιρι και ζεστη τον χειμωνα. Οι ανθρωποι κανουνε Χριστουγεννα στην παραλια με μπλουζακια και σορτς. Τον Ιουλιο και τον Αυγουστο, παλι, πανε στα βουνα για σκι.

2 Write the correct word to complete each sentence.

1. Το σχολείο μας είναι κλειστό __τον__ Αύγουστο.

2. Το μαγαζί ανοίγει _____ εννιά _____ πρωί και κλείνει _____ πέντε _____ απόγευμα.

3. Ποια μέρα έρχεται η γυναίκα σου; _____ Πέμπτη ή _____ Παρασκευή;

4. Ευτυχώς _____ χειμώνα δεν κάνει πολύ κρύο.

5. Στο νησί μας _____ Οκτώβριο έχουμε πάντα καλοκαίρι.

6. Το ραντεβού σας είναι _____ δωδεκάμισι ακριβώς.

7. _____ καλοκαίρι και _____ φθινόπωρο δεν έχει ποτέ χιόνια.

8. _____ Κυριακή πάμε καμιά φορά στην εκκλησία.

9. Εμείς _____ άνοιξη πάμε συχνά στο πάρκο.

10. _____ Σάββατο και _____ Κυριακή ξυπνάμε πιο αργά.

3 Write the three months that each one of the four seasons usually has.

1. Άνοιξη   : __Μάρτιος,__ _____

2. Καλοκαίρι : _____

3. Φθινόπωρο : _____

4. Χειμώνας   : _____

4 Write about the weather in your city and in Attica.

	στην πόλη μου	στην Αττική
τον χειμώνα	_____	_____
	_____	_____
την άνοιξη	_____	_____
	_____	_____
το καλοκαίρι	_____	_____
	_____	_____
το φθινόπωρο	_____	_____
	_____	_____

5 Write the correct form of the month to complete each sentence.

1. Τα γενέθλιά μου είναι __τον_____ .

2. Ο πρώτος μήνας του χρόνου είναι _____ .

3. Τα Χριστούγεννα είναι πάντα _____ .

4. _____ αρχίζει με το γράμμα "Σ".

5. Ο Ιούλιος είναι πριν από _____ και μετά _____ .

6. _____ έχει συνήθως 28 μέρες.

7. Το Πάσχα είναι συνήθως _____ και καμιά φορά _____

8. _____ αρχίζει με το γράμμα "Ν".

9. Το φθινόπωρο έχει τρεις μήνες : _____ , _____ και

   _____ .

6 **Your teacher dictates and you fill in the blanks with the correct letter(s). Do not forget to put the stress (΄) where necessary.**

Η Αττικ_ή_ έχει γενικά ωρ___ο κλίμα. Τον χειμώνα συνήθ___ς δεν κάνει πολ___ κρύο, δε βρ___χει πολύ συχνά, και χιονίζ___ σπάνια. Το καλοκ___ρι αρχίζει από τ___ν Μάιο και κρατά___ μέχρι και τον Οκτώβρι___ . Τον Ιούλ___ο και τον ___γουστο κάνει πολλή ζέστ___ . Αρκετοί Αθηναί___ δε φεύγουν το καλοκαίρ___ . Μένουν στην Αθήνα, γιατ___ υπάρχ___ν πολλές και ωραί___ παραλ___ες κοντά .

7 **Choose the correct word from the box to complete each sentence.**

> χιονίζει - καιρός - χειμώνας - λειτουργεί - θερμοκρασία - διακοπές -
> γενέθλιά - εποχές - παραλίες - αέρα - έχει δροσιά - κρατάει

1. Η πανσιόν ___*λειτουργεί*___ μόνο το καλοκαίρι. Τον χειμώνα είναι κλειστή.

2. Τα _____ μου είναι τον Απρίλιο.

3. Δεν πάει αεροπλάνο στη Σάμο σήμερα. Έχει πολύ _____ .

4. Μήπως ξέρεις πόση ώρα _____ το μάθημα;

5. Γενικά ο _____ είναι πολύ ζεστός το καλοκαίρι.

6. Κάνει κρύο σήμερα. Τι _____ έχουμε;

7. Εδώ, φίλε μου, οι τέσσερις _____ είναι δύο: άνοιξη και καλοκαίρι.

8. Τον χειμώνα στη Μόσχα _____ αρκετά συχνά.

9. Κάνει ζέστη εδώ μέσα. Στο πάρκο _____ . Πάμε;

10. Ο _____ στην Αλάσκα είναι πολύ κρύος.

11. Τα παιδιά μας είναι στα Κουφονήσια και κάνουν _____ .

12. Εμείς κολυμπάμε συνήθως σ' αυτές τις δύο _____ . Είναι ωραίες και ήσυχες.

8 **Write answers that are true for you.**

1. Συνήθως τι καιρό κάνει στην πόλη σας το καλοκαίρι;

   Το καλοκαίρι στην πόλη μου

2. Ποιους μήνες έχετε χειμώνα στη χώρα σας;

3. Σας αρέσει το κρύο ή η ζέστη; Γιατί;

4. Ποιο μήνα είναι τα γενέθλιά σας;

5. Πού κολυμπάτε το καλοκαίρι;

6. Πότε αρχίζει και πότε τελειώνει το καλοκαίρι στη χώρα σας;

9 **Write the diminutives of the following words.**

1. το μαχαίρι   :   *το μαχαιράκι*

2. η Ελένη   :   _____ , _____

3. το νερό   :   _____

4. ο δρόμος   :   _____ , _____

5. η πατάτα   :   _____ , _____

6. η μάνα   :   _____ , _____

7. το σπίτι   :   _____

8. η καρέκλα   :   _____ , _____

9. ο Γιάννης   :   _____

10. η σαλάτα   :   _____ , _____

1   **Look at the key words and the words in brackets, and write sentences using the comparative or the superlative, accordingly.**

1. Κώστας / λεπτός / Πέτρος   *(πιο)*

   Ο Κώστας είναι πιο λεπτός από τον Πέτρο.

2. κυρία Νικολάου / (ψηλή) / (μητέρα μου)   *(τόσο... όσο)*

   _____

3. παιδιά μας / έξυπνα / παιδιά τους   *(πιο)*

   _____

4. πατέρας μου / δεν / μεγάλος / πατέρας σου   *(τόσο... όσο)*

   _____

5. Μαρία / καλή / μαθήτρια / όλες   *(η πιο)*

   _____

6. χωριό τους / δεν / ωραίο / χωριό μας   *(πιο)*

   _____

7. αυτά / κοσμήματα / ακριβά / απ' όλα   *(τα πιο)*

   _____

2   **Read or listen to the dialogue on p. 218 of your book, and describe the following characters:**

1. ο Άρης   *Ο Άρης είναι* _____

   _____

2. ο Αλέκος   _____

   _____

3. ο Ευάγγελος   _____

   _____

4. η Βάσω   _____

   _____

3 **Your teacher dictates and you fill in the blanks with the correct letter(s). Do not forget to put the stress (ʹ) where necessary.**

Η Δήμητρα Παπαστεφάνου , μια καλ**ή** φίλ___ , έχει τρία παιδιά.

Τον Σταμάτη, τον Σάββα και την Ιόλη. Ο Σταμάτης είναι ο π___ο μεγάλος από τους

τρ___ς . Είναι ψ___λός και αδ___νατος . Ο Σάββας είναι τρία χρόν___α πιο μικρός

από τον αδελφ___ του . Ειναι πολ___ όμορφ___ς . Έχει ___σια καστανά μαλλ___ά

και πράσ___να μάτ___α . Η Ιόλ___ είναι λεπτ___ , μάλλον κοντ___ , και είναι το

πιο μικρό π___δί από τα τρία . Έχει κι αυτ___ καστανά μαλλιά αλλά σγουρά.

Και τα τρία παιδιά της είναι καταπλ___κτικά .

4 **Describe the following people.**

την καθηγήτριά σας / τον καθηγητή σας

_____

_____

τον πιο καλό σας φίλο / την πιο καλή σας φίλη

_____

_____

τον αγαπημένο σας τραγουδιστή

_____

_____

την αγαπημένη σας τραγουδίστρια

_____

_____

τον αγαπημένο σας ηθοποιό

_____

_____

την αγαπημένη σας ηθοποιό

_____

_____

5 Choose the correct word to complete each sentence.

κωμωδίες - είχε πλάκα - έξυπνοι - δυστυχώς - φαλακρές - συστημένο
συμπαθητική - κατσαρά - μισθοί - γραμματόσημα - δέματα

1. Αυτό το γράμμα απλό και το άλλο __*συστημένο*__ , παρακαλώ.

2. Η αδελφή μου έχει ωραία μαύρα _____ μαλλιά.

3. _____ δεν μπορώ να σας δώ, έχω δουλειά τώρα.

4. Τα _____ που περιμένουμε για τα Χριστούγεννα δεν έφτασαν ακόμα.

5. Οι _____ σε άλλες ευρωπαϊκές χώρες είναι πιο υψηλοί.

6. Δεν υπάρχουν πολλές _____ γυναίκες.

7. Ο Αριστοφάνης έγραψε μόνο _____ .

8. Η καθηγήτριά μας είναι πολύ _____ .

9. Οι σκύλοι είναι πιο _____ από τις γάτες.

10. Στο ταχυδρομείο μπορούμε να αγοράσουμε _____ .

11. Η ταινία που είδαμε χτες _____ μεγάλη _____ .

6 Complete the sentences in your own words.

1. Η φίλη μου η Σάντρα είναι πιο _____

2. Η Αθήνα δεν είναι τόσο _____

3. Το σπίτι μας είναι το πιο _____

4. Το ξενοδοχείο όπου μείναμε πέρσι ήταν πιο _____

5. Η Ρόδος δεν είναι τόσο _____

6. Οι παραλίες στην Ελλάδα είναι οι πιο _____

7. Η Ευρώπη είναι πιο _____

7 **Read or listen to the dialogue on p. 224 of your book and complete the sentences.**

Θανάσης   Καλημέρα. Αυτό το ___*γράμμα*___ εξπρές για Ιρλανδία.

                Κι αυτά τα τρία _____ Βέλγιο.

Υπάλληλος   Κι αυτά _____ εξπρές;

Θανάσης   Όχι, _____ .

Υπάλληλος   Λοιπόν. Αυτά τα _____ είναι για το εξπρές και αυτά

                για τα _____ τρία. Εννιά και εβδομήντα όλα _____ .

Θανάσης   Έχω κι αυτό το _____ για Αυστραλία.

Υπάλληλος   Είναι _____ από δύο κιλά;

Θανάσης   Ναι, πρέπει να είναι _____ στα τρία.

Υπάλληλος   Ε, τότε θα πάτε στη _____ που γράφει "Δέματα".

                _____ απέναντι.

Θανάσης   Εντάξει, ευχαριστώ.

Ένας κύριος   Ε... αυτό για την Πάτρα. _____ .

1 **Look at the subject pronouns and put the verbs in the first conditional to complete the sentences.**

1. Αν _____ στο Πανεπιστήμιο τώρα, _____ μια απάντηση μέχρι τον Μάρτιο. (εσύ, γράφω / εσύ, έχω)

2. _____ οκτώ ώρες, αν σας _____ 12 ευρώ την ώρα; (εσείς, δουλεύω / εγώ, πληρώνω)

3. _____ τα πιάτα, αν εσύ _____ . (εγώ, πλένω / μαγειρεύω)

4. Αν _____ ταξί, _____ πιο γρήγορα. (εμείς, παίρνω / εμείς, φτάνω)

5. _____ την Ελένη, αν την _____ . (εγώ, ρωτάω / εγώ, βλέπω)

6. Αν _____ τα κλειδιά μας, _____ στο σπίτι. (εμείς, βρίσκω / εμείς, μπαίνω)

7. Τα παιδιά _____ τις τυρόπιτες που αγόρασα, αν _____ . (τρώω, πεινάω)

8. Τι _____ , αν δεν _____ η καθηγήτριά μας σήμερα; (γίνομαι / έρχομαι)

9. Αν τα κορίτσια _____ αργά, _____ στο σπίτι μας. (γυρίζω, κοιμάμαι)

10. Αν _____ τη μητέρα σου, _____ αυτή στη δασκάλα σου. (εσύ, παρακαλώ / τηλεφωνώ)

2 **Write what you will do if... :**

1. ...αν πάτε σ' ένα ελληνικό νησί.

_____

2. ...αν δεν έχει καθόλου φαγητό στο σπίτι σας.

_____

3. ...αν πάτε στο Μόντε Κάρλο.

_____

4. ...αν δεν γυρίσει η κόρη σας ένα βράδυ στο σπίτι.

_____

5. ...αν δείτε στην τηλεόραση ότι κερδίσατε το ΛΟΤΤΟ.

_____

③ Underline the imperatives of these verbs.

1. Κώστα, _πήγαινε_ /πηγαίνεις στο σπίτι αμέσως.

2. _Καθίστε_/_Κάθεστε_ ένα λεπτό, κυρία Παπανικολάου. Έρχομαι αμέσως.

3. _Φεύγεις_/_Φύγε_ από 'δώ, παιδί μου. Έχω δουλειά τώρα.

4. Κύριοι, _έρχεστε_/_ελάτε_ στο γραφείο μου. Έχουμε να μιλήσουμε.

5. _Περίμενε_/_Περιμένεις_ λίγο. Το φαγητό δεν είναι έτοιμο ακόμα.

6. _Διαβάζεις_/_Διάβασε_ το μάθημά σου, Κωστάκη.

7. Στέλα, _έλα_/_έρχεσαι_ λίγο κοντά μου. Θέλω να δεις κάτι.

④ Use these words/phrases to make sentences.

> κάθε μέρα - κάθε χρόνο - κάθε πότε - κάθε σαββατοκύριακο - κάθε - κάθε δύο μέρες - κάθε μήνα - κάθε Δευτέρα πρωί - κάθε λεπτό

1. _____

2. _____

3. _____

4. _____

5. _____

6. _____

7. _____

8. _____

9. _____

5 **Use the words/phrases in the box to write appropriate responses.**

κι εμένα - ούτε (κι) εμένα - ούτε... ούτε - κι εμείς - ούτε (κι) εγώ - εμείς όχι

1. "Θα πάμε διακοπές στη Ρόδο." " __*Κι εμείς*__ ."

2. "Μ' αρέσει το καλό φαγητό." " _____ ."

3. "Δεν πήγα καθόλου στο θέατρο φέτος." " _____ ."

4. "Δε μ' αρέσουν οι γάτες." " _____ ."

5. "Θα πάμε τη Δευτέρα ή την Τρίτη;" " _____ τη Δευτέρα _____ την Τρίτη."

6. "Θα πάρουμε το αυτοκίνητό μας στην Κρήτη." " _____ , γιατί δεν το χρειαζόμαστε."

6 **Choose the correct word from the box to complete each sentence.**

λείψει - λεφτά - ύστερα - πιστωτική - κατάθεση - χαλάσουμε - βιβλιάριό - προτιμάω - περιπέτεια - εξωτικό

1. Το Μπαλί είναι ένα __*εξωτικό*__ νησί.

2. Όταν ψωνίζω, συνήθως χρησιμοποιώ την _____ μου κάρτα.

3. Η Κάρεν θα _____ απ' το μάθημα αύριο, γιατί έχει δουλειές.

4. Μήπως ξέρεις πού είναι το _____ μου; Το χρειάζομαι, γιατί πάω στην τράπεζα.

5. Πρέπει να _____ 100 ευρώ, γιατί δεν έχουμε καθόλου ψιλά.

6. Οι φίλοι μας πλήρωσαν πολλά _____ χτες στο εστιατόριο.

7. Πρώτα θα τελειώσεις το φαγητό σου, και _____ θα φας παγωτό.

8. Δε μ' αρέσει το θέατρο. _____ το σινεμά.

9. Θέλω να κάνω μια _____ σε ευρώ, παρακαλώ.

10. Στη ζωή μου θέλω πάντα λίγη _____ .

7 Read or listen to the dialogue on p. 230 of your book and write the words that are missing.

Ελένη   Καλημέρα. Θέλω να κάνω μια ___*κατάθεση*___ στον _____

131-002104-13098.

Ταμίας   Παπανικολάου Ιωάννα;

Ελένη   Ναι, _____ .

Ταμίας   Πόσα _____ ;

Ελένη   Τριακόσια πενήντα δύο ευρώ. Είναι για το _____ .

Ταμίας   Το όνομά σας;

Ελένη   Ελένη Δημητριάδη.

Ταμίας   Μια _____ εδώ, παρακαλώ.

Ελένη   Θα ήθελα να κάνω και μία _____ πεντακόσια ευρώ.

Ταμίας   Το _____ και την ταυτότητά σας.

Ελένη   Α, συγνώμη. Ορίστε.

Ταμίας   Πόσα είπατε ότι θέλετε να _____ ; Πεντακόσια;

Ελένη   Μάλιστα. Εε... ξέρετε, θα ήθελα να _____ και μία

_____ κάρτα.

Ταμίας   Για πιστωτικές θα πάτε στην κυρία Δήμου, δεύτερο _____ αριστερά.

Ελένη   _____ καλά. Ευχαριστώ.

Name/Όνομα   : _____   Mark/Βαθμός : ____

Date/Ημερομηνία : _____   100

---

1 Write the correct definite article. (4 marks)   /4

1. _**Οι**___ γιατροί είναι στο νοσοκομείο.

2. Μήπως ξέρετε αυτές _____ κυρίες;

3. _____ παιδιά δεν είναι στο σπίτι.

4. _____ υπολογιστές αυτοί είναι συνήθως ακριβοί.

5. Αυτό το κρασί είναι από _____ φίλους μας.

6. Αυτά εδώ είναι _____ διαβατήριά μας.

7. Εκείνες _____ κάλτσες είναι καθαρές.

8. Αυτό το κλειδί είναι και για _____ δύο δωμάτια.

9. _____ τσάντες είναι από την Ισπανία.

2 Look at the countries in brackets and write the correct words. (8 marks)   /8

1. Αυτά τα παπούτσια είναι ___**ιταλικά**___ . (Ιταλία)

2. Χθες είδα τον _____ καθηγητή στο εστιατόριο. (Πορτογαλία)

3. Η καινούργια μαθήτρια είναι _____ . (Λίβανος)

4. Μ' αρέσει το _____ φαγητό. (Ιαπωνία)

5. Η Λιλίκα δεν πίνει ποτέ _____ καφέ. (Γαλλία)

6. Αύριο θα παίξουμε τένις με δύο _____ . (Σουηδία)

7. Αγόρασα τρεις _____ φακέλους. (Ισπανία)

8. Η Σιμόν είναι παντρεμένη με έναν _____ . (Ελλάδα)

9. Δε μ' αρέσουν πάντα οι _____ ταινίες. (Αμερική)

3 **Rewrite the sentences in the plural.   (15 marks)**   /15

1.   Πρέπει να πάρω το βιβλίο μου αύριο.

   Πρέπει να πάρουμε τα βιβλία μας αύριο.

2.   Μήπως ξέρεις πού βρίσκεται η κλινική;

   _____

3.   Ο καλός πελάτης θέλει τον ακριβό αναπτήρα.

   _____

4.   Ο φίλος μου δεν ξέρει να μαγειρεύει.

   _____

5.   Ποιος κοιμάται σ' αυτό το δωμάτιο;

   _____

6.   Ο ισπανός φοιτητής μιλάει με την καθηγήτρια.

   _____

7.   Θα αγοράσω το άσπρο μπλουζάκι για τον φίλο μου.

   _____

8.   Εσύ έφαγες το μεγάλο ψάρι;

   _____

9.   Ίσως ο κύριος ξέρει ποια ήταν εκείνη η κυρία.

   _____

10. Σ' αρέσει αυτός ο ελληνικός χορός;

   _____

11. Δεν μπορείς να στείλεις το γράμμα συστημένο;

   _____

4 **Write the correct form of the verbs in brackets. (16 marks)** /16

1. Ο αδελφός μου την Κυριακή συνήθως ___*παίζει*___ μπάσκετ. (παίζω)

2. Συγνώμη, μπορώ _____ στο μάθημα λίγο αργότερα; (έρχομαι)

3. Γιατί δεν _____ στο γραφείο χθες, Γιώργο; (πάω)

4. Τι ώρα θέλετε _____ αύριο το πρωί, κυρία Μαρία; (ξυπνάω)

5. Τι _____ αύριο οι φίλες σου στην Ερμού; (ψωνίζω)

6. Τελικά, τι ώρα _____ τα παιδιά χτες το μεσημέρι; (τρώω)

7. Εγώ δεν _____ ποτέ το βράδυ. (οδηγώ)

8. Πού θέλεις _____ , Άννα; Εδώ ή εκεί; (κάθομαι)

9. Την περασμένη εβδομάδα _____ στη Θεσσαλονίκη, Κώστα; (είμαι)

10. Το περασμένο Σάββατο _____ μια καταπληκτική ταινία απ' το Ιράν. (βλέπω)

11. Η μητέρα μου σπάνια _____ κρασί. (πίνω)

12. Μπορείτε _____ πέντε λεπτά, σας παρακαλώ; (περιμένω)

13. Απόψε ο άντρας μου κι εγώ _____ νωρίς. (κοιμάμαι)

14. Την άλλη Παρασκευή οι μαθητές _____ με την καθηγήτριά τους. (βγαίνω)

15. Τι _____ προχθές ο άντρας σου με τον πατέρα του; (κάνω)

16. Τι ώρα _____ το αεροπλάνο σου χθες το βράδυ; (φτάνω)

17. Πού σκέφτεστε _____ το Πάσχα, κύριε Καρατζαφέρη; (περνάω)

5 **Write the opposites. (11 marks)** /11

1. μεγάλη ___*μικρή*___
2. αρχίζουμε _____
3. θα βγεις _____
4. άσχημοι _____
5. φτηνά _____
6. σωστό _____

7. θα πάρω _____
8. απαντάω _____
9. βόρεια _____
10. καθαρός _____
11. κοντές _____
12. πουλάω _____

6 Look at the key words and the words in brackets, and write sentences using the comparative or the superlative, accordingly. (7 marks)   /7

1. αδελφός μου / ψηλός / πατέρας μας *(πιο)*

   Ο αδελφός μου είναι πιο ψηλός από τον πατέρα μας.

2. εκείνη / ταβέρνα / φτηνή / αυτή *(πιο)*

   _____

3. κανένας / δεν / άσχημος / αυτός *(τόσο... όσο)*

   _____

4. αυτά / σακάκια / ακριβά / απ' όλα *(τα πιο)*

   _____

5. εγώ / κουρασμένος / αδελφός μου *(λιγότερο)*

   _____

6. ποιος / καλός / μαθητής / από / τρεις; *(ο πιο)*

   _____

7. αυτή / εξέταση / δύσκολη / άλλη *(τόσο... όσο)*

   _____

8. αυτοί / πελάτες / συμπαθητικοί / εκείνοι *(λιγότερο)*

   _____

7 Write the letters that are missing and put the stress (')
where necessary. (6 marks)   /6

Αύρι_**ο**_ η Καίτη και ____ Πάνος θα πάνε στη Γλυφάδα . Θα φ____γουνε
από το σπίτ____ στις πέντε το απόγε____μα και θα φτάσουν εκεί κατά τ____ς
πέντε και μισ____ . Θα πάνε μαζί στα μαγαζιά, γιατί η Καίτη έχ____ να ψωνίσ____
μερικά πράγματα για τ____ν Πάνο και για μια φίλ____ της στο Παρίσ____ . Μετά
θα καθ____σουν για λίγη ώρα σ' ένα καφέ. Θα πιούνε έναν καφέ και θα μιλήσουνε
για τις διακοπές τους.

46

8 **Choose the correct word from the box to complete each sentence. (11 marks)**   /11

> ταχυδρομείο - μαγειρέψει - κερνάω - σειρά - πουλάνε - μετρητά - νοικιάσουμε - περασμένη - ζει - επιπλωμένο - μεθαύριο - κρατάει

1. "Το διαμέρισμα είναι ___*επιπλωμένο*___ και είναι και στο Κολωνάκι!" "Και το ενοίκιο;"

2. "Την _____ εβδομάδα έφαγα σ' ένα πολύ καλό εστιατόριο." "Ακριβό;"

3. "Η αδελφή μου _____ στον Καναδά από το 1992." "Έχει οικογένεια;"

4. "Παρακαλώ, ποιος έχει _____ ;" "Η κυρία είναι πρώτη, νομίζω."

5. "Πότε θα πάτε στη Θεσσαλονίκη;" " _____ ."

6. "Θα πληρώσετε με κάρτα ή _____ ;" "Με κάρτα."

7. "Πόσο καιρό _____ το καλοκαίρι στη χώρα σου;" "Δύο ή τρεις εβδομάδες!"

8. "Πού πας;" "Στο _____ . Έχω να στείλω ένα συστημένο γράμμα."

9. "Οι γονείς μου _____ το σαλόνι τους." "Πόσο;"

10. "Τι θα _____ η μητέρα σου αύριο;" "Ίσως μουσακά."

11. "Δε θα πάρουμε το αυτοκίνητό μας μαζί. Θα _____ ένα εκεί."

12. " _____ εγώ σήμερα. Έχω τα γενέθλιά μου." "Χρόνια πολλά. Να ζήσεις!"

9 **Write answers that are true for you. (9 marks)**   /9

1. Τι ώρα θα ξυπνήσετε αύριο; _____

2. Ποιο μήνα είναι τα γενέθλιά σας; _____

3. Πόσο καιρό μαθαίνετε ελληνικά; _____

4. Πού πήγατε το Σάββατο το βράδυ; _____

5. Πού ήσασταν πέρσι το καλοκαίρι; _____

6. Τι αυτοκίνητο θα αγοράσετε εφέτος; _____

10 (a) Write about your country. Make sure you write about:
1. population   2. total area   3. neighbouring countries
(north, south etc.)   4. climate   5. monuments
6. tourists who come   (13 marks)

/13

or

(b) Write a dialogue between a green grocer and a customer.
The customer wants to buy potaoes, carrots και fruit.   (13 marks)

_____

_____

_____

_____

_____

_____

_____

_____

_____

_____

_____

_____

_____

_____

_____

_____

_____

Answer Key

Lesson 13

1

οι ωραίοι κήποι/αναπτήρες/υπολογιστές - τους ωραίους κήπους/αναπτήρες/υπολογιστές
οι ακριβές/ωραίες ταβέρνες/κλινικές - τις ακριβές/ωραίες ταβέρνες/κλινικές
τα μεγάλα βιβλία/σπίτια/μαθήματα - τα μεγάλα βιβλία/σπίτια/μαθήματα

2

1. οι ακριβοί αναπτήρες - τους ακριβούς αναπτήρες   2. οι μεγάλες ομπρέλες - τις μεγάλες ομπρέλες
3. οι μικροί υπολογιστές - τους μικρούς υπολογιστές   4. τα παλιά βιβλία - τα παλιά βιβλία
5. οι καλοί φίλοι - τους καλούς φίλους   6. τα καινούργια μαθήματα - τα καινούργια μαθήματα
7. οι ωραίες κλινικές - τις ωραίες κλινικές   8. τα φτηνά σπίτια - τα φτηνά σπίτια
9. οι παλιοί φούρνοι - τους παλιούς φούρνους

3

1. Δε βλέπετε τα μικρά γράμματα;   2. Τα μεγάλα αυτοκίνητα είναι ακριβά.
3. Δεν υπάρχουν καινούργιες καρέκλες;   4. Οι καλοί κινηματογράφοι είναι μακριά.
5. Δε θέλουμε τις ακριβές μηχανές.   6. Γιατί αυτά τα προβλήματα είναι μεγάλα;
7. Οι φίλοι μου δε θέλουν τους ακριβούς υπολογιστές.   8. Τα παλιά βιβλία είναι δίπλα στα ποτήρια.
9. Οι αδελφές τους θέλουν τα ρολόγια μας.   10. Εκείνες οι σαλάτες είναι έτοιμες.

4

1. β   2. α   3. β   4. γ   5. δ   6. β   7. δ

5

1. Πόσο κάνουν;   2. Πόσοι   3. λίγες   4. φράουλες   5. εξαιρετικές   6. πελάτισσα   7. ρέστα   8. σειρά
9. Τίποτε   10. Πόσο περίπου

6

1. Άγγλοι   2. έναν καθηγητή   3. μπανάνες   4. αυτοκίνητα   5. κανένα φούρνο   6. μαθήματα
7. μαθήτριες   8. μια τράπεζα   9. κανένας πωλητής

Lesson 14

1

1. η Γερμανία - Γερμανός, -ίδα - γερμανικός, -ή, -ό - τα γερμανικά
2. η Ιταλία - Ιταλός, -ίδα - ιταλικός. -ή, -ό - τα ιταλικά
3. η Ιαπωνία - Γιαπωνέζος, -έζα - ιαπωνικό, -ή, -ό / γιαπωνέζικος, -η, -ο - τα ιαπωνικά/γιαπωνέζικα
4. η Ελλάδα - Έλληνας, -ίδα - ελληνικός, -ή, -ό - τα ελληνικά
5. η Αγγλία - Άγγλος, -ίδα - αγγλικός, -ή, -ό - τα αγγλικά
6. η Ισπανία - Ισπανός, -ίδα - ισπανικός, -ή, -ό - τα ισπανικά
7. η Σουηδία - Σουηδός, -έζα - σουηδικός, -ή, -ό / σουηδέζικος, -η, -ο - τα σουηδικά/σουηδέζικα
8. η Κίνα - Κινέζος/Κινέζα - κινέζικος/η/ο - τα κινέζικα
9. η Τουρκία - Τούρκος, -άλα - τουρκικός, -ή, -ό / τούρκικος, -η, -ο - τα τουρκικά/τούρκικα
10. η Ολλανδία - Ολλανδός, -έζα - ολλανδικός, -ή, -ό / ολλανδέζικο, -η, -ο - τα ολλανδικά/ολλανδέζικα

2

1. ιταλική   2. έλληνες   3. ισπανικά   4. Αυστραλέζα   5. ιταλίδα   6. γαλλικός   7. ελβετικές
8. αμερικάνικες   9. Έλληνες   10. γαλλική   11. αγγλικοί   12. ελληνίδα

3

1. μαύρος/μαύροι - μαύρη/μαύρες - μαύρο/μαύρα
2. πράσινος/πράσινοι - πράσινη/πράσινες - πράσινο/πράσινα

3. πορτοκαλής/πορτοκαλιοί - πορτοκαλιά/πορτοκαλιές - πορτοκαλί/πορτοκαλιά
4. καφέ/καφέ - καφέ/καφέ - καφέ/καφέ
5. κίτρινος/κίτρινοι - κίτρινη/κίτρινες - κίτρινο/κίτρινα
6. γκρίζος/γκρίζοι - γκρίζα/γκρίζες - γκρίζο/γκρίζα
7. μπεζ/μπεζ - μπεζ/μπεζ - μπεζ/μπεζ
8. άσπρος/άσπροι - άσπρη/άσπρες - άσπρο/άσπρα
9. βυσσινής/βυσσινιοί - βυσσινιά/βυσσινιές - βυσσινί/βυσσινιά

4

1. α   2. δ   3. ε   4. γ   5. ε   6. α   7. β

5

1. αριστερά / Εκείνα / φοράτε / καφέ / μπορντό / λεπτό / πόδι / αρέσουν / ενενήντα / ακριβά / ιταλικά / πληρώνω / ταμείο / γεια σας
6

Μένω στην Καλαμαριά, κοντά στη Θεσσαλονίκη. Συχνά πηγαίνω στη Θεσσαλονίκη, στο κέντρο, στην οδό Τσιμισκή και ψωνίζω. Εκεί υπάρχουν πολλά και ωραία μαγαζιά. Τώρα είμαι στην Τσιμισκή. Θέλω καφέ παπούτσια, μια μαύρη τσάντα, ένα φόρεμα — δεν ξέρω τι χρώμα ακόμα — τρία καλσόν, ένα πουλόβερ και δύο φανελάκια. Σε μια βιτρίνα βλέπω ένα ζευγάρι καφέ παπούτσια. Μ' αρέσουν πολύ. Νομίζω ότι είναι τα παπούτσια που θέλω.

7

1. κοντά   2. ισπανική   3. πληρώνω   4. γλώσσα   5. ελληνικά   6. πουκάμισο   7. φούστα
8. παπούτσια   9. κίτρινο   10. χρώματα   11. μπλε   12. παρακαλώ

Lesson 15

1

Ο Κώστας είναι φοιτητής. Τώρα βγαίνει για δουλειές. Πρώτα θα πάει στην τράπεζα και μετά θα πάει στη ΔΕΗ. Θα πληρώσει τον λογαριασμό και μετά θα αγοράσει κάποια πράγματα για τον υπολογιστή του. Η μητέρα του θα μαγειρέψει ένα καλό μεσημεριανό.

3

1. θα αγοράσει   2. θα μαγειρέψουμε   3. θα πάνε   4. θα καπνίσω   5. θα γράψεις   6. θα ανοίξετε
7. θα είσαι   8. θα φτιάξει   9. θα χορέψω   10. θα φτάσουμε   11. θα πληρώσετε   12. θα έχουμε

4

1. διαβάζει   2. δουλεύουμε   3. ακούνε   4. κλείνω   5. μαγειρεύεις   6. παίζετε   7. κάνεις   8. περιμένει
9. ψωνίζω   10. καπνίζουμε   11. γράφετε   12. προσέχεις

5

1. θα γράψει   2. θα έχουμε   3. Θα περιμένετε   4. θα διαβάσουν   5. θα κλείσεις   6. θα ακούσω
7. θα ψωνίσει   8. θα φτιάξεις   9. θα πληρώσουν

7

1. διαβάσω   2. χρειάζομαι   3. χορέψει   4. εισιτήριά   5. φτιάξω   6. επιστροφή   7. χάρτη   8. δουλειές
9. περιμένετε   10. νησί   11. θέση

8

εισιτήρια / αεροπλάνο / Δευτέρα / λεπτάκι / καμπίνα / επιστροφή / ακόμα / αυτοκίνητο / όνομα / φτάνουμε / μετρητά / υπογράψετε / βεβαίως / κάρτα / ταξίδι / χάρτες / βιβλιοπωλείο

Lesson 16

1

Ο Πέτερ κι εγώ είμαστε στην Ελλάδα δεκατέσσερις μήνες ακριβώς. Την άλλη εβδομάδα αυτός θα φύγει για τη Βιέννη. Εγώ θα μείνω ακόμα ένα μήνα και μετά θα φύγω για το Μιλάνο. Του χρόνου θα είμαστε πάλι μαζί στην Ελλάδα.

3

1. θα πλύνει   2. θα πιούμε   3. θα έρθεις   4. θα πάρουν   5. θα μπορέσει   6. θα δώσετε   7. θα βγεις
8. θα γίνει   9. θα βρω   10. θα περάσουμε   11. θα πουν(ε)   12. θα κοιμηθείτε

4

1. βρίσκει   2. μπορούμε   3. στέλνουν(ε)   4. γελάω   5. μιλάει   6. μπαίνετε   7. τηλεφωνείς   8. βλέπει
9. παίρνω   10. φέρνουμε   11. πίνετε   12. μένει

5

1. θα στείλει   2. θα ξυπνήσω   3. θα βγει   4. θα φύγουν   5. Θα πιεις   6. θα δω   7. θα πλύνει
8. Θα δώσεις   9. θα μπούμε   10. Θα έρθετε   11. θα μιλήσω   12. θα ρωτήσετε   13. θα ξεχάσεις
14. θα πάρετε, Θα πεινάσετε

7

1. θα βγούμε   2. λογαριασμό   3. ψάρι   4. Τελικά   5. θα φέρουνε   6. θα δει   7. συμπόσιο, θα γίνει
8. θα φύγεις   9. Θα μείνω   10. βόλτα

9

1. (Καλή όρεξη.)   2. (Έναν κατάλογο, παρακαλώ.)   3. (Τι θα πιεις;)   4. (Τι θα κάνεις απόψε;)
5. (Πότε θα πας στην Πάτρα;)

Lesson 17

1

ψάχνει / διαμέρισμα / επιπλωμένο / εφημερίδα / κατάλληλα / κοντά / όροφο / υπνοδωμάτιο / κουζίνα / Δυστυχώς / μπαλκόνι / ενοίκιο / βρίσκεται / δρόμο / όροφο / μπάνιο / ενοίκιο / πολυκατοικία / ασανσέρ

2

1. Μια γκαρσονιέρα έχει ένα κύριο δωμάτιο, κουζίνα και μπάνιο.
2. Ένα δυάρι έχει δύο κύρια δωμάτια, κουζίνα και μπάνιο.
3. Ένα τριάρι έχει τρία κύρια δωμάτια, κουζίνα και μπάνιο.
4. Ένα τεσσάρι έχει τέσσερα κύρια δωμάτια, κουζίνα και μπάνιο (ίσως και W.C.)
5. Ένα πεντάρι έχει πέντε κύρια δωμάτια, κουζίνα, μπάνιο και W.C.

3

1. διαμέρισμα   2. έπιπλα   3. μπάνιο   4. πολυκατοικία   5. επιπλωμένο   6. κουζίνα   7. μονόκλινο
8. ξενοδοχείο   9. θέα   10. Ακρόπολη   11. διαβατήριο   12. κλειδί

4

1. δίκλινο   2. διαβατήριο   3. υπνοδωμάτια   4. ξενοδοχείο   5. κλειδιά   6. έπιπλα   7. διαμερίσματα
8. Ψάχνω   9. δυάρι   10. ενοίκιο

6

1. έκτο   2. δέκατο πέμπτο   3. εικοστό τρίτο   4. τρίτο   5. δέκατο τρίτο   6. δέκατο έβδομο   7. πρώτο
8. εικοστό τέταρτο

8

1. καθόμαστε, βλέπουμε τηλεόραση, διαβάζουμε κτλ.   2. κοιμόμαστε   3. μαγειρεύουμε, τρώμε
4. τρώμε   5. κάνουμε μπάνιο ή ντους   6. κοιμόμαστε   8. κάνουμε μπάνιο ή ντους

9

δωμάτιο / δίκλινο / όροφο / θέα / ισόγειο / βραδιά / πρωινό / Προτιμώ / ταυτότητα / διαβατήριο / πράγματά /
κλειδί / ημιώροφο / βαλίτσες

Lesson 19

1

1. να μιλήσεις   2. να στείλετε   3. να πάμε   4. να αγοράσει   5. να φάνε   6. να πουλήσετε   7. να κοιμηθώ
8. να φύγουμε   9. να ξεχάσουν   10. να καθίσεις   11. να μαγειρέψω   12. να ξυπνήσουν   13. να έρθει
14. να παίξετε

3

1. αβγά   2. εκκλησία   3. ξεκινάει   4. βράχους   5. ψήσουμε   6. σακούλες   7. συνεργείο   8. αρνί
9. τσουρέκι

4

Τον κύριο, παρακαλώ / υπάρχει, εδώ / αριθμό / εσείς, θέλετε / λάθος / συγχωρείτε / πειράζει

Lesson 20

2

1. αγοράζεις - θα αγοράσεις - αγόρασες   2. τρώνε - θα φάνε - έφαγαν (φάγανε)
3. βλέπετε - θα δείτε - είδατε   4. είμαστε - θα είμαστε - ήμασταν   5. πηγαίνουν - θα πάνε - πήγαν(ε)
6. κάνω - θα κάνω - έκανα   7. μαγειρεύουμε - θα μαγειρέψουμε - μαγειρέψαμε
8. ετοιμάζουν(ε) - θα ετοιμάσουν(ε) - ετοίμασαν/   9. φτάνεις - θα φτάσεις - έφτασες
10. μένω - θα μείνω - έμεινα   11. φεύγετε - θα φύγετε - φύγατε

4

1. β   2. γ   3. α   4. α   5. β   6. γ   7. β   8. α

5

1. ποιον   2. Ποιες   3. Ποια   4. ποιες   5. ποιους   6. Ποια   7. ποιους   8. Ποιο   9. ποια

6

1. φάγαμε   2. Πέρσι   3. καταπληκτική   4. γνώρισε   5. Περάσαμε   6. καλέσω   7. Ποιους
8. ανάκτορο   9. αγορά   10. λιμάνι   11. έκθεση

7

Το περασμένο Σάββατο ο καιρός ήταν ωραίος, και η Δήμητρα πήγε μια βόλτα στην Πλάκα. Αγόρασε ένα άσπρο
παντελόνι για την αδελφή της και ένα κομπολόι για τον φίλο της τον Μηνά. Μετά πήγε σε μια ταβέρνα κοντά
στην Ακρόπολη και έφαγε καλά. Το βράδυ πήγε στο σινεμά και είδε μια γαλλική ταινία. Η ταινία ήταν πολύ
καλή.

Lesson 21

1

Σ' αυτή τη χώρα κάνει κρύο το καλοκαίρι και ζέστη τον χειμώνα. Οι άνθρωποι κάνουνε Χριστούγεννα στην
παραλία με μπλουζάκια και σορτς. Τον Ιούλιο και τον Αύγουστο, πάλι, πάνε στα βουνά για σκι.

2

1. τον   2. στις, το, στις, το   3. Την, την   4. τον   5. τον   6. στις   7. Το, το   8. Την   9. την
10. Το, την

3

1. Μάρτιος, Απρίλιος, Μάιος   2. Ιούνιος, Ιούλιος, Αύγουστος   3. Σεπτέμβριος, Οκτώβριος, Νοέμβριος
4. Δεκέμβριος, Ιανουάριος, Φεβρουάριος

5

1. (τον Ιούνιο)   2. ο Ιανουάριος   3. τον Δεκέμβριο   4. Ο Σεπτέμβριος   5. τον Αύγουστο, τον Ιούνιο
6. Ο Φεβρουάριος   7. τον Απρίλιο, τον Μάιο   8. Ο Νοέμβριος
9. τον Σεπτέμβριο, τον Οκτώβριο, τον Νοέμβριο

6

Η Αττικ**ή** έχει γενικά ωρ**αίο** κλίμα. Τον χειμώνα συνή**θως** δεν κάνει πολ**ύ** κρύο, δε βρ**έ**χει πολύ συχνά, και χιονίζ**ει** σπάνια. Το καλοκ**αίρι** αρχίζει από τ**ον** Μάιο και κρατά**ει** μέχρι και τον Οκτώβρι**ο**. Τον Ιού**λιο** και τον **Αύ**γουστο κάνει πολλή ζέστ**η**. Αρκετοί Αθηναί**οι** δε φεύγουν το καλοκαίρι. Μένουν στην Αθήνα, γιατ**ί** υπάρχ**ου**ν πολλές και ωραί**ες** παραλίες κοντά.

7

1. λειτουργεί   2. γενέθλιά   3. αέρα   4. κρατάει   5. καιρός   6. θερμοκρασία   7. εποχές   8. χιονίζει
9. έχει δροσιά   10. χειμώνας   11. διακοπές   12. παραλίες

10

1. το μαχαιράκι   2. η Ελενίτσα, το Ελενάκι   3. το νεράκι   4. το δρομάκι, ο δρομάκος
5. η πατατούλα, το πατατάκι   6. η μανούλα, η μανίτσα   7. το σπιτάκι
8. η καρεκλίτσα, το καρεκλάκι   9. ο Γιαννάκης   10. η σαλατίτσα, η σαλατούλα

Lesson 22

1

1. Ο Κώστας είναι πιο λεπτός απ' τον Πέτρο.
2. Η κυρία Νικολάου είναι τόσο ψηλή, όσο η μητέρα μου.
3. Τα παιδιά μας είναι πιο έξυπνα από τα παιδιά τους.
4. Ο πατέρας μου δεν είναι τόσο μεγάλος, όσο ο πατέρας σου.
5. Η Μαρία είναι η πιο καλή μαθήτρια απ' όλες.
6. Το χωριό τους δεν είναι πιο ωραίο από το χωριό μας.
7. Αυτά τα κοσμήματα είναι τα πιο ακριβά απ' όλα.

2

1. Ο Άρης είναι ψηλός, λεπτός και ωραίος.
2. Ο Αλέκος είναι πιο κοντός, πιο χοντρός και πιο μεγάλος από τον Άρη.
3. Ο Ευάγγελος είναι ο πιο μεγάλος από τους τρεις. Είναι αρκετά χοντρός, κοντός και φαλακρός.
Είναι ο πιο κοντός και ο λιγότερο ωραίος.
4. Η Βάσω είναι τριάντα πέντε χρονών, έξυπνη, και δεν είναι πολύ ωραία.

3

Η Δήμητρα Παπαστεφάνου, μια καλ**ή** φίλ**η**, έχει τρία παιδιά. Τον Σταμάτη, τον Σάββα και την Ιόλη. Ο Σταμάτης είναι ο π**ιο** μεγάλος από τους τρε**ις**. Είναι ψηλ**ός** και αδ**ύ**νατος. Ο Σάββας είναι τρία χρόνια πιο μικρός από τον αδελφ**ό** του. Είναι πολ**ύ** όμορφ**ος**. Έχει ίσια καστανά μαλλιά και πράσινα μάτ**ια**. Η Ιόλη είναι λεπτ**ή**, μάλλον κοντ**ή**, και είναι το πιο μικρό π**αιδ**ί από τα τρία. Έχει κι αυτ**ή** καστανά μαλλιά αλλά σγουρά. Και τα τρία παιδιά είναι καταπλ**η**κτικά.

5

1. συστημένο   2. κατσαρά   3. Δυστυχώς   4. δέματα   5. μισθοί   6. φαλακρές   7. κωμωδίες
8. συμπαθητική   9. έξυπνοι   10. γραμματόσημα   11. είχε, πλάκα

7

γράμμα / για / πάνε / απλά / γραμματόσημα / άλλα / μαζί / δέμα / πάνω / γύρω / θυρίδα / Εκεί / Συστημένο

Lesson 23

1

1. γράψεις, θα έχεις   2. Θα δουλέψετε, πληρώσω   3. Θα πλύνω, μαγειρέψεις   4. πάρουμε, θα φτάσουμε
5. Θα ρωτήσω, δω   6. βρούμε, θα μπούμε   7. θα φάνε, πεινάσουν   8. θα γίνει, έρθει
9. γυρίσουν, θα κοιμηθούν   10. παρακαλέσεις, θα τηλεφωνήσει

3

1. πήγαινε   2. Καθίστε   3. Φύγε   4. ελάτε   5. Περίμενε   6. Διάβασε   7. έλα

5

1. Κι εμείς   2. Κι εμένα   3. Ούτε (κι) εγώ   4. Ούτε (κι) εμένα   5. Ούτε... ούτε   6. Εμείς όχι

6

1. εξωτικό   2. πιστωτική   3. λείψει   4. βιβλιάριο   5. χαλάσουμε   6. λεφτά   7. ύστερα   8. Προτιμάω
9. κατάθεση   10. περιπέτεια

7

κατάθεση, λογαριασμό / ακριβώς / θα βάλετε / ενοίκιο / υπογραφή / ανάληψη / βιβλιάριο / πάρετε / βγάλω /
πιστωτική / γραφείο / Νά 'στε

Progress Test (Lessons 13-24)

1

1. Οι   2. τις   3. Τα   4. Οι   5. τους   6. τα   7. οι   8. τα   9. Οι

2

1. ιταλικά   2. πορτογάλο   3. Λιβανέζα   4. γιαπωνέζικο   5. γαλλικό   6. Σουηδέζες   7. ισπανικούς
8. Έλληνα   9. αμερικάνικες

3

1. Πρέπει να πάρουμε τα βιβλία μας αύριο.
2. Μήπως ξέρετε πού βρίσκονται οι κλινικές;
3. Οι καλοί πελάτες θέλουν τους ακριβούς αναπτήρες.
4. Οι φίλοι μας δεν ξέρουν να μαγειρεύουν.
5. Ποιοι κοιμούνται σ' αυτά τα δωμάτια;
6. Οι ισπανοί φοιτητές μιλάνε με τις καθηγήτριες.
7. Θα αγοράσουμε τα άσπρα μπλουζάκια για τους φίλους μας.
8. Εσείς φάγατε τα μεγάλα ψάρια;
9. Ίσως οι κύριοι ξέρουν ποιες ήταν εκείνες οι κυρίες.
10. Σας αρέσουν αυτοί οι ελληνικοί χοροί;
11. Δεν μπορείτε να στείλετε τα γράμματα συστημένα;

4

1. παίζει   2. να έρθω   3. πήγες   4. να ξυπνήσετε   5. θα ψωνίσουν   6. έφαγαν   7. οδηγώ   8. να καθί-
σεις   9. ήσουν   10. είδα   11. πίνει   12. να περιμένετε   13. θα κοιμηθούμε   14. θα βγουν   15. έκανε
16. έφτασε   17. να περάσετε

5

1. μικρή   2. τελειώνουμε   3. θα μπεις   4. ωραίοι   5. ακριβά   6. λάθος   7. θα δώσω   8. ρωτάω
9. νότια   10. βρώμικος   11. ψηλές   12. αγοράζω

6

1. Ο αδελφός μου είναι πιο ψηλός από τον πατέρα μας.
2. Εκείνη η ταβέρνα είναι πιο φτηνή από αυτή(ν).
3. Κανένας δεν είναι τόσο άσχημος, όσο αυτός.
4. Αυτά τα σακκάκια είναι τα πιο ακριβά απ' όλα.
5. Εγώ είμαι λιγότερο κουρασμένος από τον αδελφό μου.
6. Ποιος είναι ο πιο καλός μαθητής από τους τρεις;
7. Αυτή η εξέταση είναι τόσο δύσκολη, όσο η άλλη.
8. Αυτοί οι πελάτες είναι λιγότερο συμπαθητικοί από εκείνους.

7

Αύριο η Καίτη και ο Πάνος θα πάνε στη Γλυφάδα. Θα φύγουνε από το σπίτι στις πέντε το απόγευμα, και θα φτάσουν εκεί κατά τις πέντε και μισή. Θα πάνε μαζί στα μαγαζιά, γιατί η Καίτη έχει να ψωνίσει μερικά πράγματα για τον Πάνο και για μια φίλη της στο Παρίσι. Μετά θα καθίσουν για λίγη ώρα σ' ένα καφέ. Θα πιούνε έναν καφέ και θα μιλήσουνε για τις διακοπές τους. Βραδινό θα φάνε σε μια ταβέρνα.

8

1. επιπλωμένο   2. περασμένη   3. ζει   4. σειρά   5. Μεθαύριο   6. μετρητά   7. κρατάει   8. ταχυδρομείο
9. πουλάνε   10. μαγειρέψει   11. νοικιάσουμε   12. Κερνάω